D1286015

Eine kleine Stadt in Bayern: Landsberg am Lech. Ein Ort wie jeder andere und zugleich Schauplatz der großen Geschichte. Hier schreibt Hitler während seiner Festungshaft 1923/24 «Mein Kampf», 1944/45 werden etwa 30 000 KZ-Häftlinge als Zwangsarbeiter in einem geheimen Rüstungsprojekt eingesetzt. 1945 finden die amerikanischen Befreier in den Lagern und Massengräbern Tausende von Toten. Sie errichten in Landsberg ein großes Displaced Persons Camp für die Überlebenden des Holocaust. Hinter Stacheldraht entsteht auf engstem Raum eine vielsprachige Stadt in der Stadt. In unmittelbarer Nähe der Opfer sitzen die Täter – die Festungshaftanstalt wird zum Kriegsverbrechergefängnis. Die Bundeswehr übernimmt die NS-Rüstungsbauten, das Leben in der kleinen Stadt geht weiter.
Während der ganzen Zeit ist in Landsberg fotografiert worden – zur privaten Erinnerung, politischen Propaganda oder zur Dokumentation für die Nachwelt, von Profis und Amateuren, von amerikanischen Befreiern, internationalen Beobachtern und Einheimischen.

Dieses Buch zeigt mit 150 von den Herausgebern Martin Paulus, Edith Raim und Gerhard Zelger ausgewählten und in intensiven Recherchen zusammengetragenen Fotografien, wie eine kleine Stadt die große Geschichte erlebt. In der Chronik Landsbergs verdichten sich lokale und internationale Ereignisse zu einer bewegenden Ansicht des 20. Jahrhunderts.
Offizielle und private Fotos aus Archiven und Familienalben zeigen die Erinnerungen an einen Ort und eine Zeit in ihrer Vielschichtigkeit. John Berger und Nella Bielski korrespondieren in einem Essay zu diesen Fotos über «Gedächtnis. Schweigen», die Historikerin Edith Raim erläutert die geschichtlichen Zusammenhänge. Der Band enthält überdies eine Auswahl aus den 1945 entstandenen Briefen, die der damalige Leiter des Displaced Persons Camp, Irving Heymont, an seine Frau in den USA schrieb, und ein Geleitwort des im DP-Camp Landsberg geborenen Historikers Abraham J. Peck.

EIN ORT WIE JEDER ANDERE

Bilder aus einer deutschen Kleinstadt.
Landsberg 1923–1958

Herausgegeben von
Martin Paulus / Edith Raim / Gerhard Zelger

Rowohlt

Originalausgabe / Veröffentlicht im Rowohlt Taschenbuch Verlag GmbH / Reinbek bei Hamburg, April 1995 /
Lektorat: Barbara Wenner / Layout: Iris Farnschläder / Umschlaggestaltung: Martin Paulus (Fotos: «Haftentlassung Hitlers aus der Festungshaftanstalt Landsberg am 20. 12. 1924», Heinrich Hoffmann / National Archives und Records Administration [NARA], Washington D.C., 242-HMA-1454 und «Purim Parade at the Landsberg Displaced Persons Camp, 1946» / Beth Hatefutsoth Photo Archive, Zvi Kadushin Collection, Tel Aviv) / Karten S. 222/223: Jörg Mahlstedt / Satz: Joanna und Franklin Gothic PostScript, QuarkXPress 3.3 / Lithografie: Grafische Werkstatt Chr. Kreher, Hoisdorf
Gesamtherstellung: Clausen & Bosse, Leck / Printed in Germany / 2990-ISBN 3 499 19913 0

Übersetzungen:
John Berger – Hans Jürgen Balmes
Nella Bielski – Tatjana Michaelis
Irving Heymont und Abraham J. Peck – Susanne Klockmann

Schriftenreihe des Fritz-Bauer-Instituts, Frankfurt am Main
Studien- und Dokumentationszentrum zur Geschichte und Wirkung des Holocaust, Band 9.